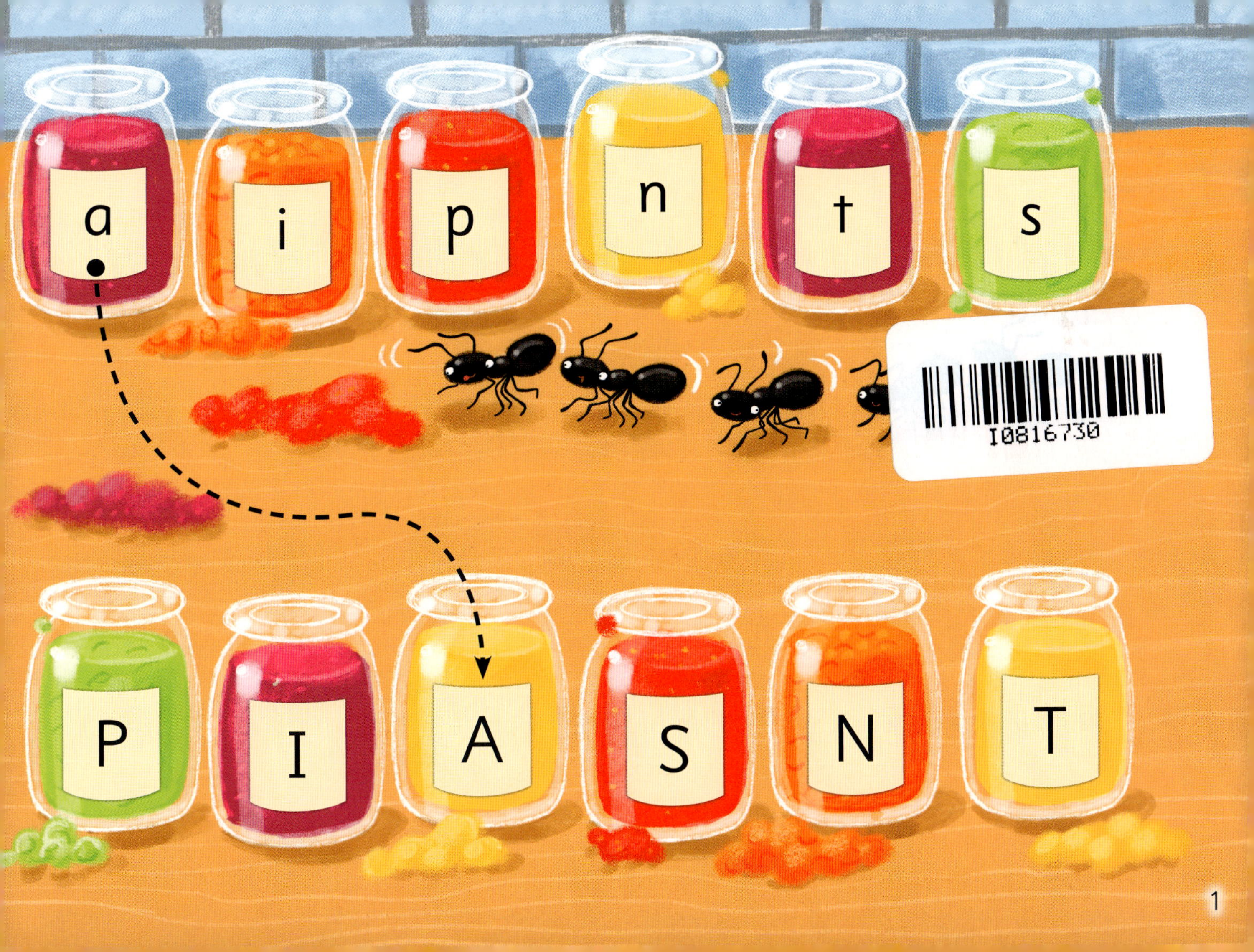

a i p n t s



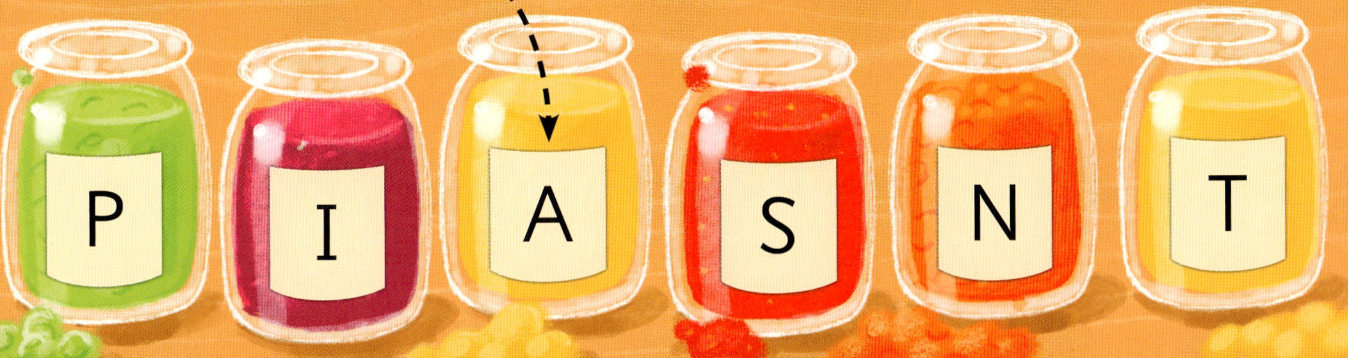

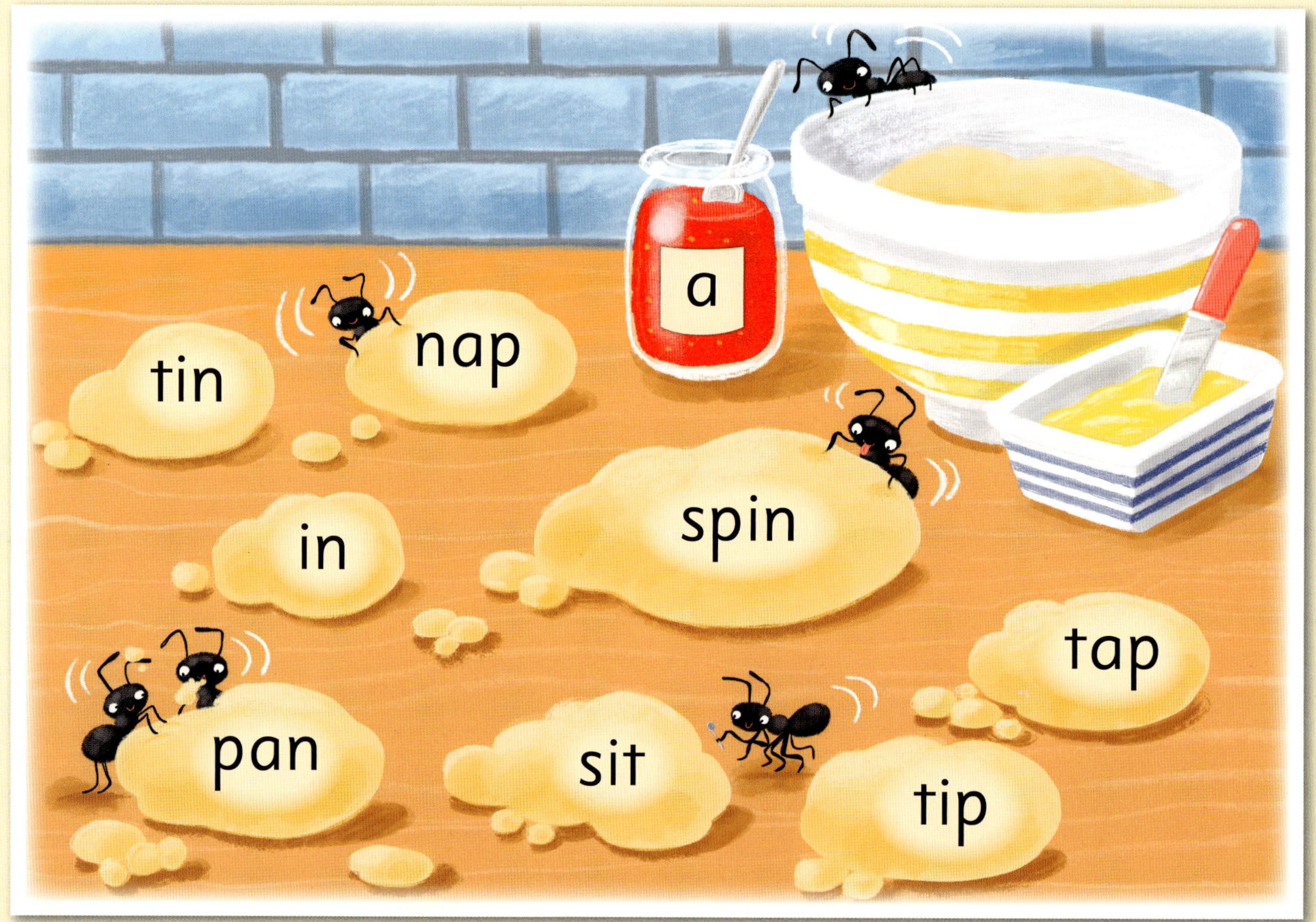
a
tin
nap
in
spin
tap
pan
sit
tip

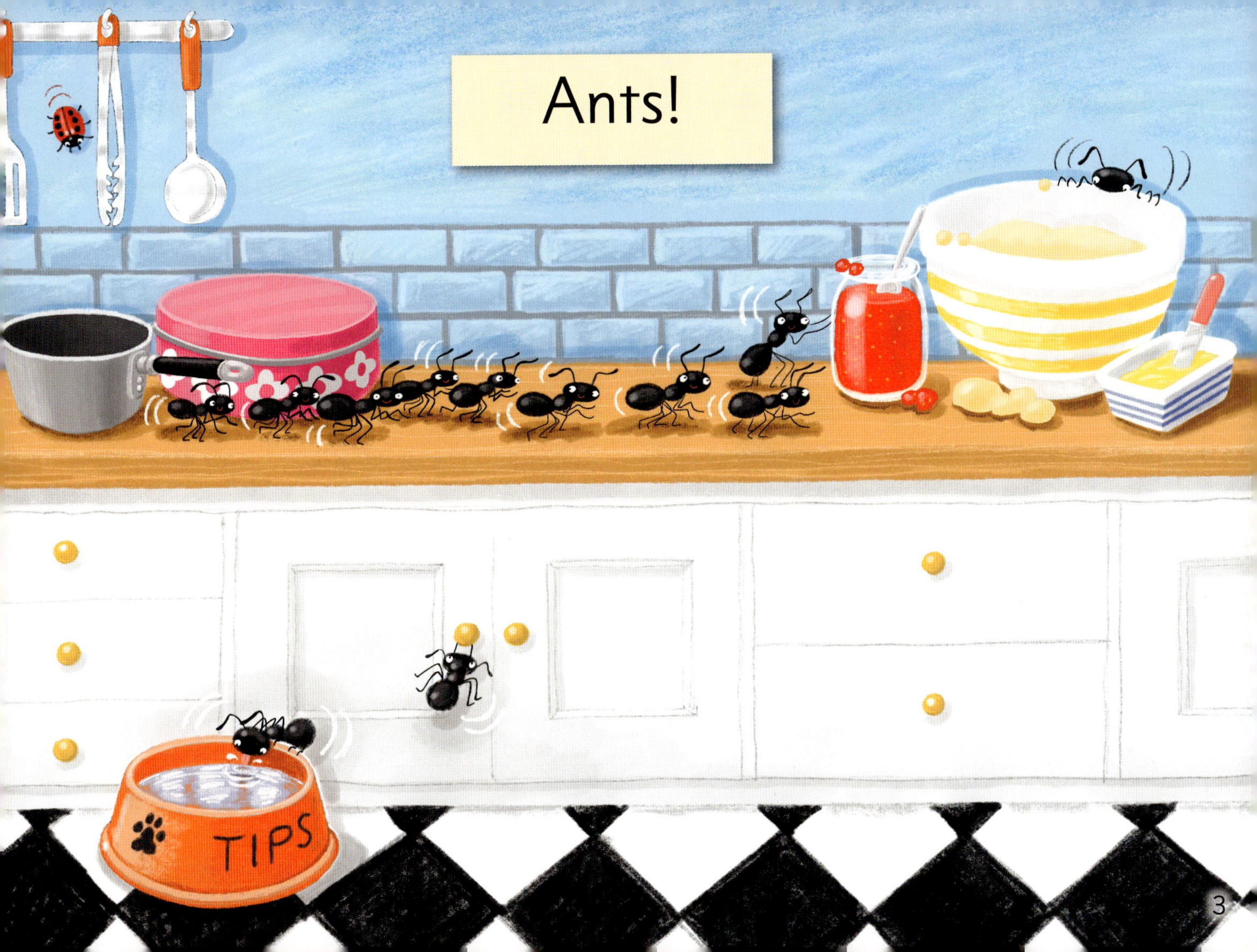


# Ants!

Ants spin.

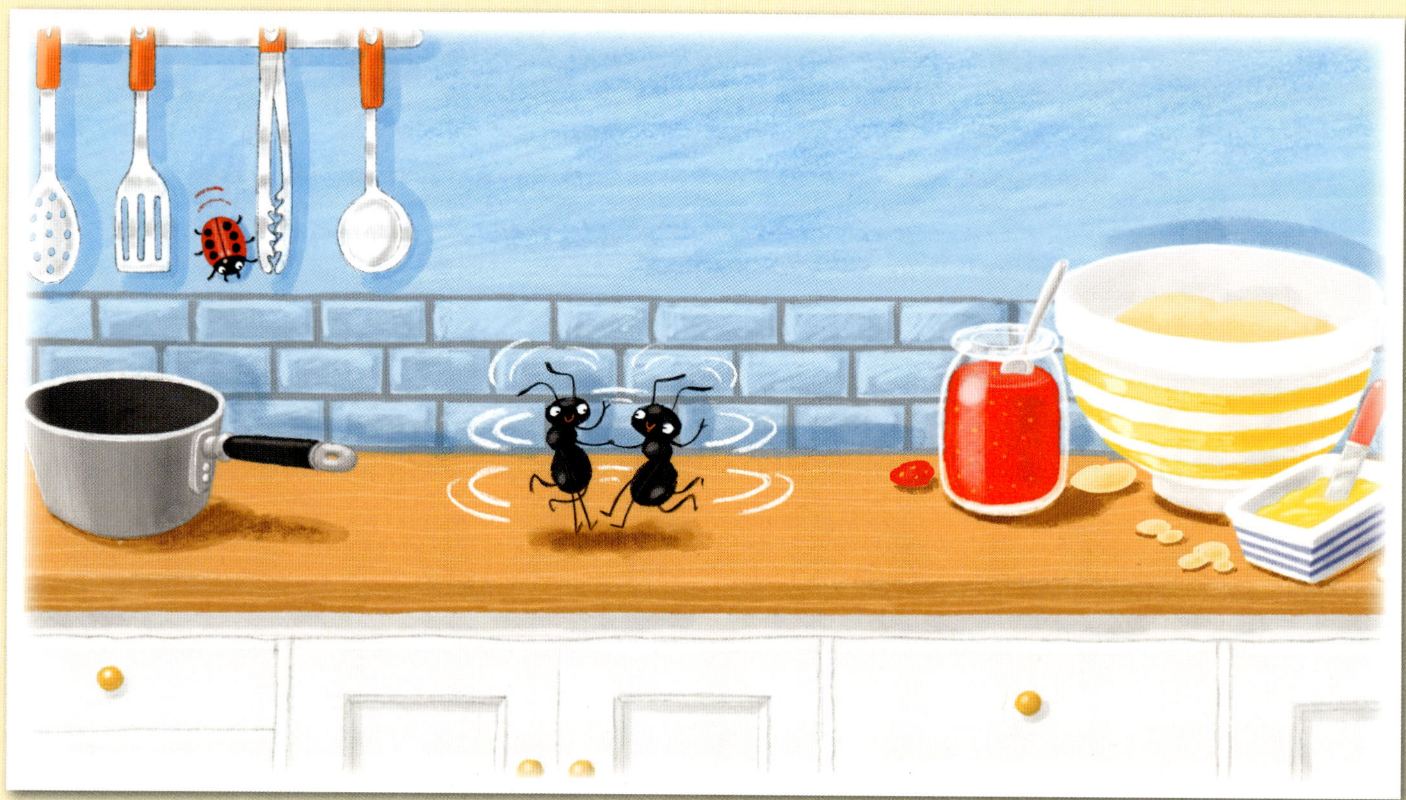

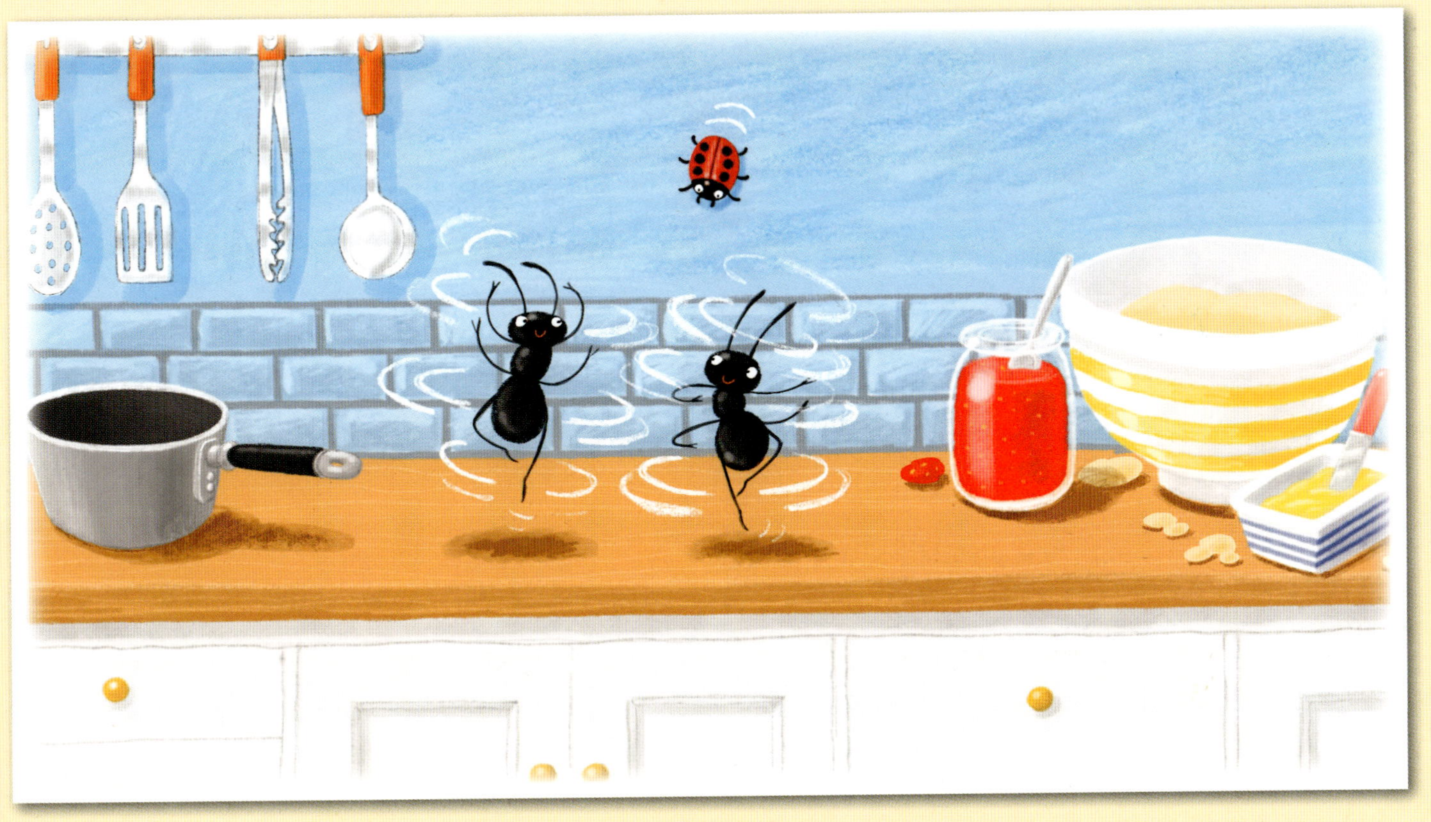

Ants spin, spin, spin!

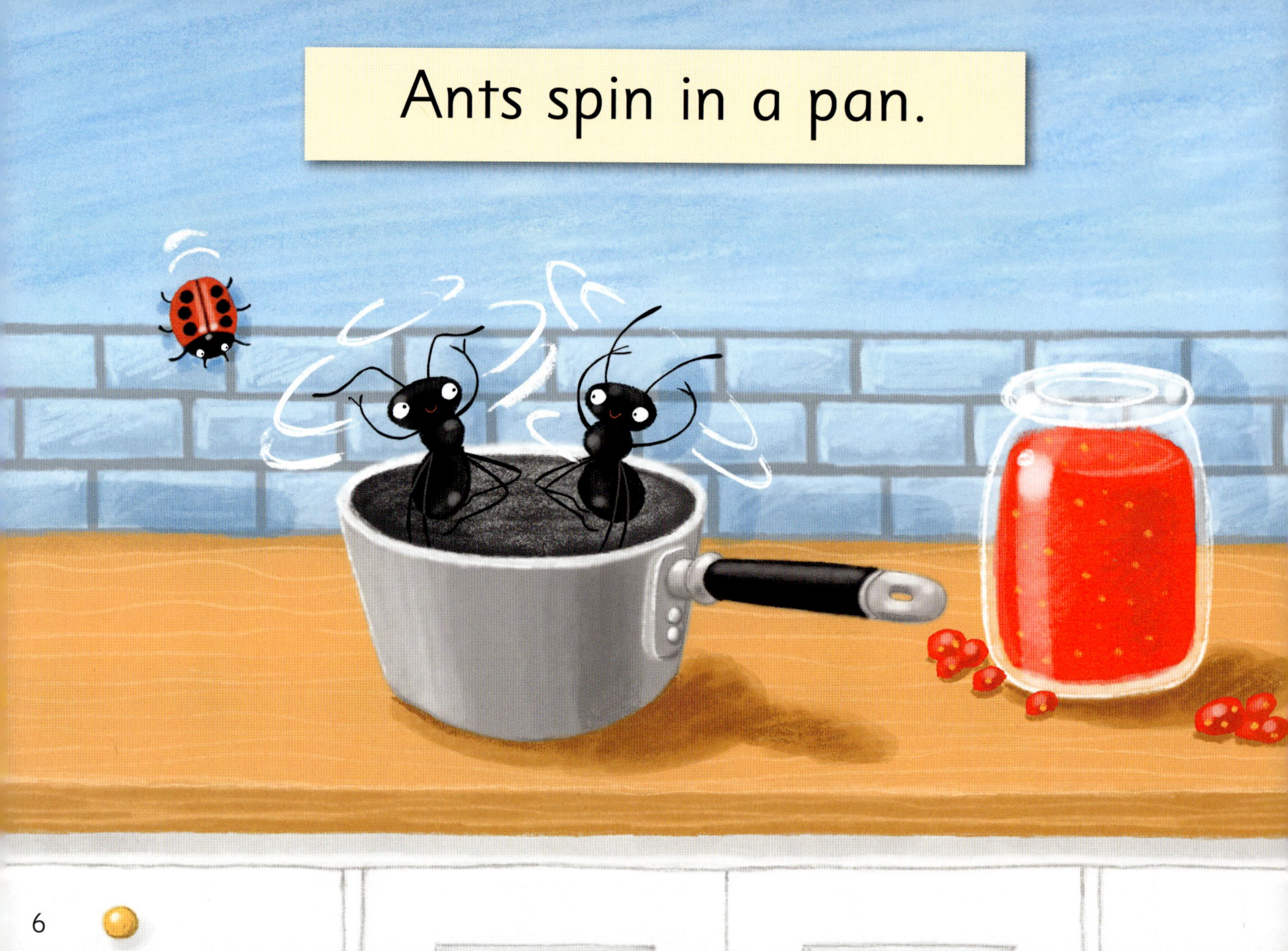

Ants spin in a pan.

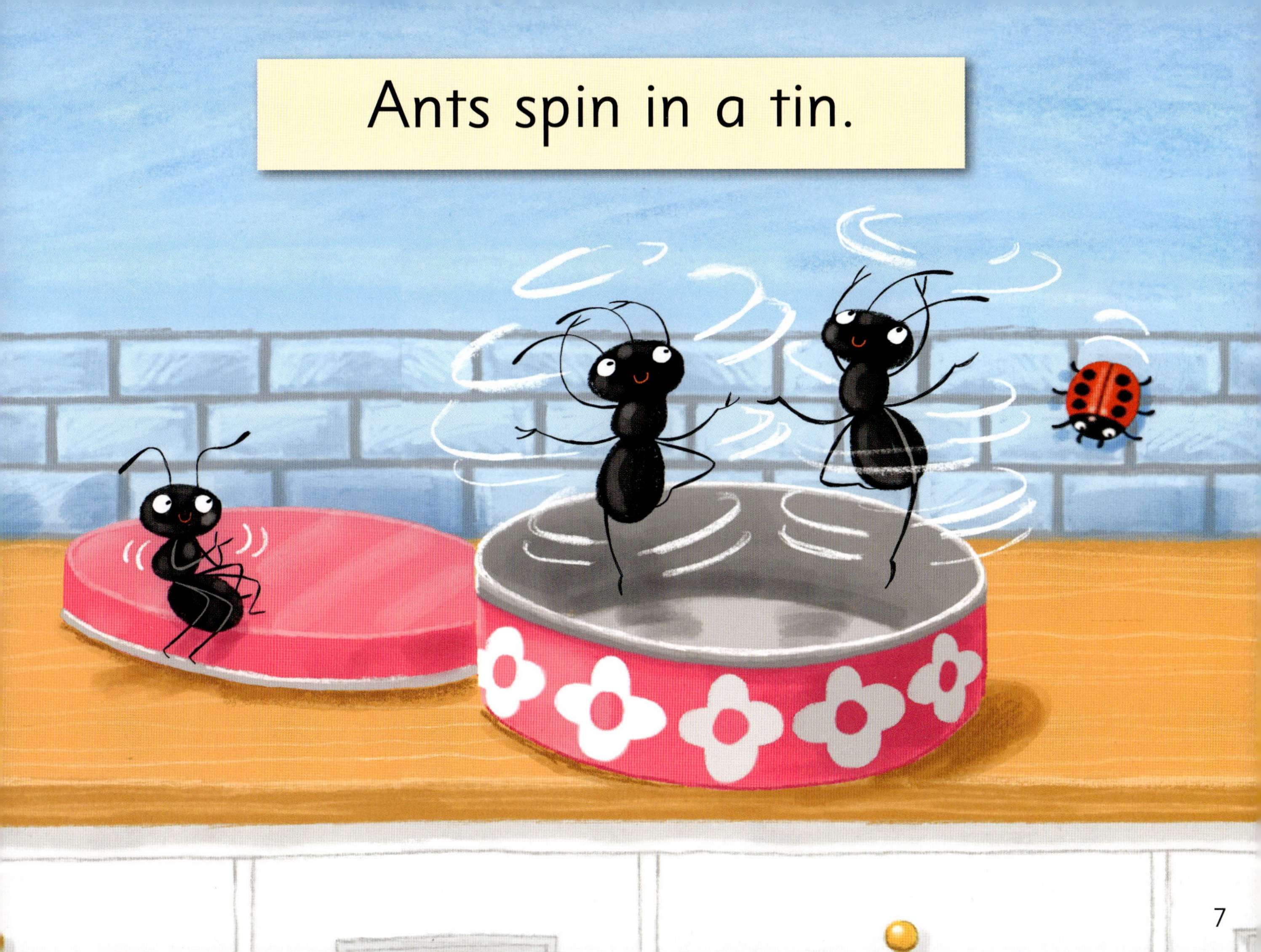
Ants spin in a tin.

T-t-t tap! Tap, tap, tap!

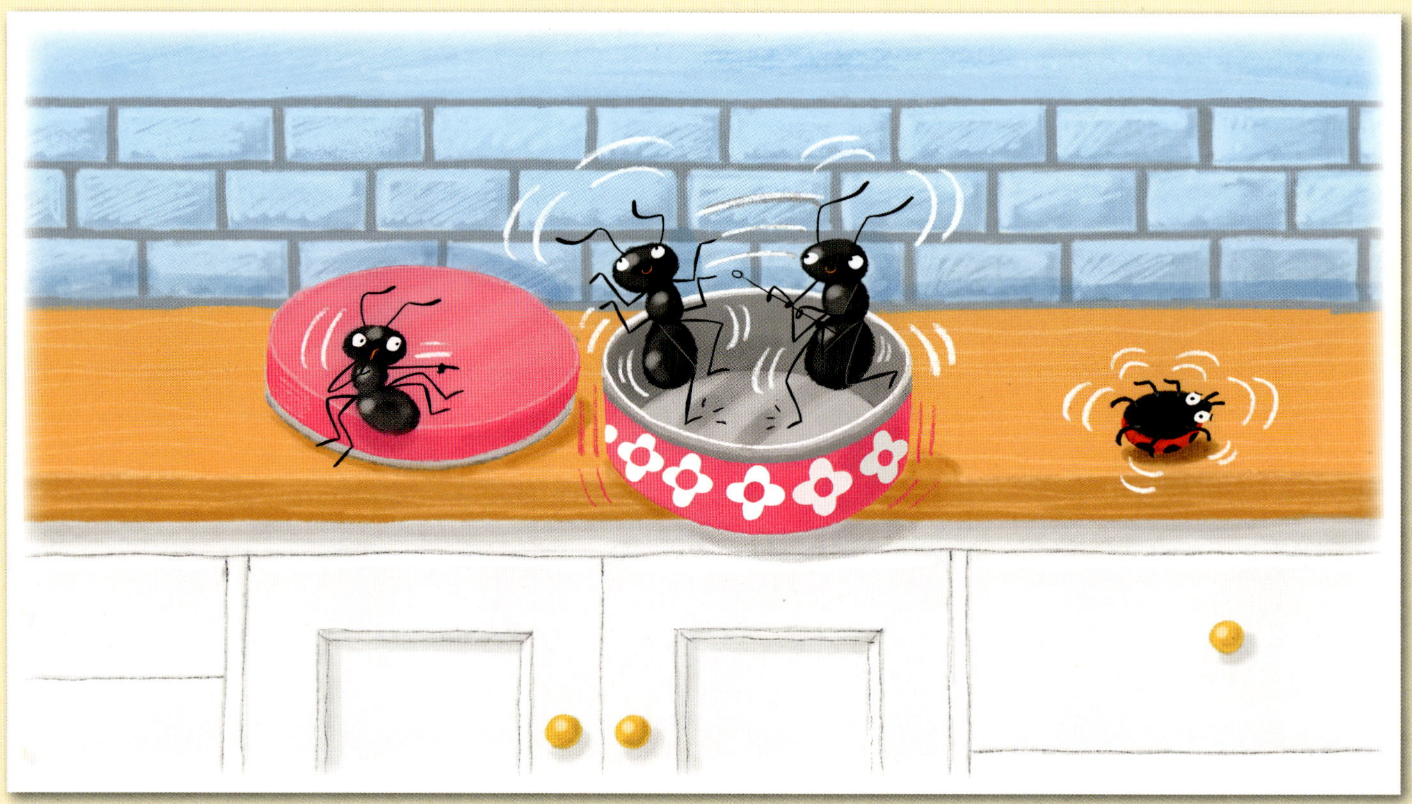

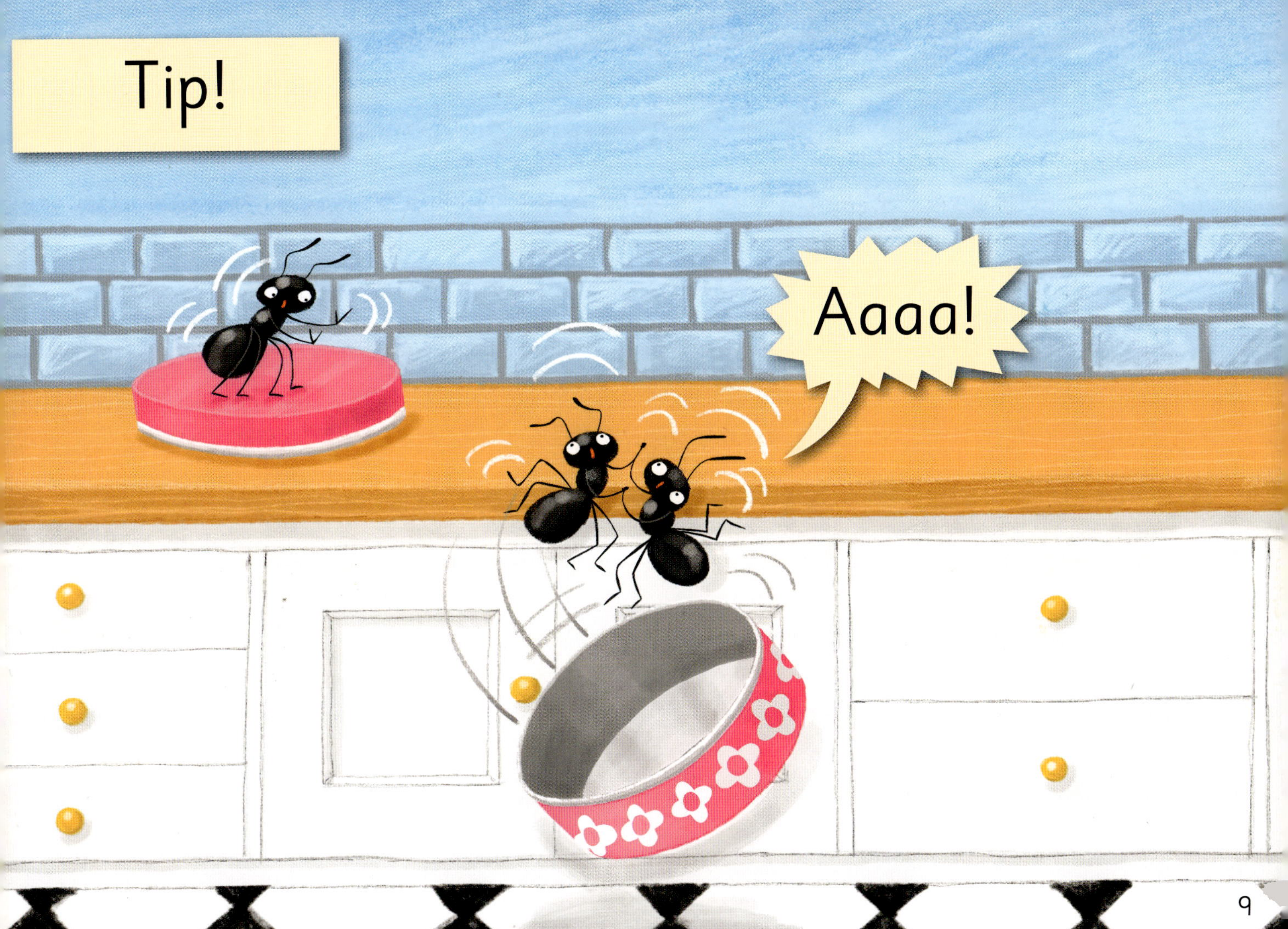
Tip!
Aaaa!

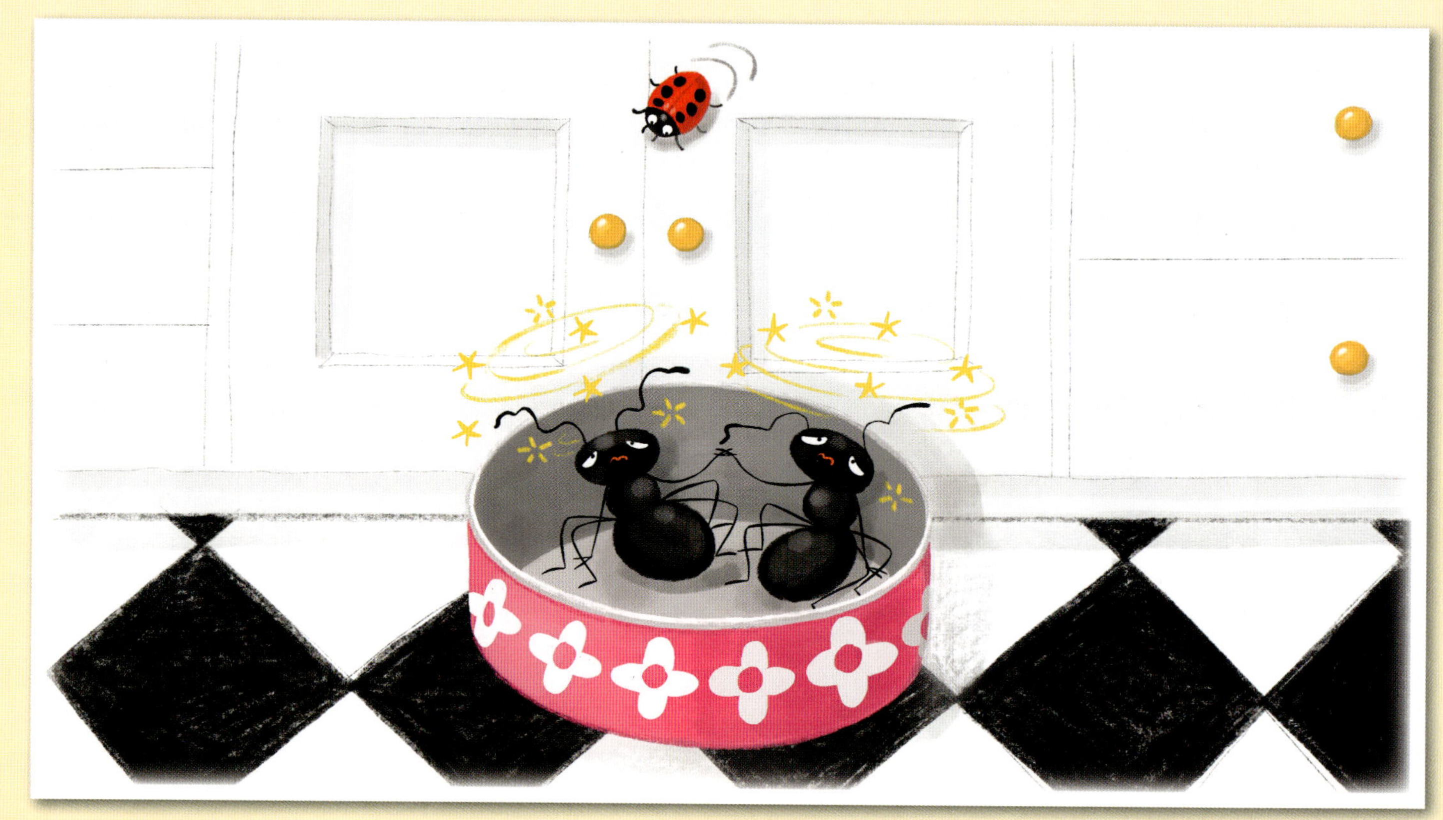

Ants sit.

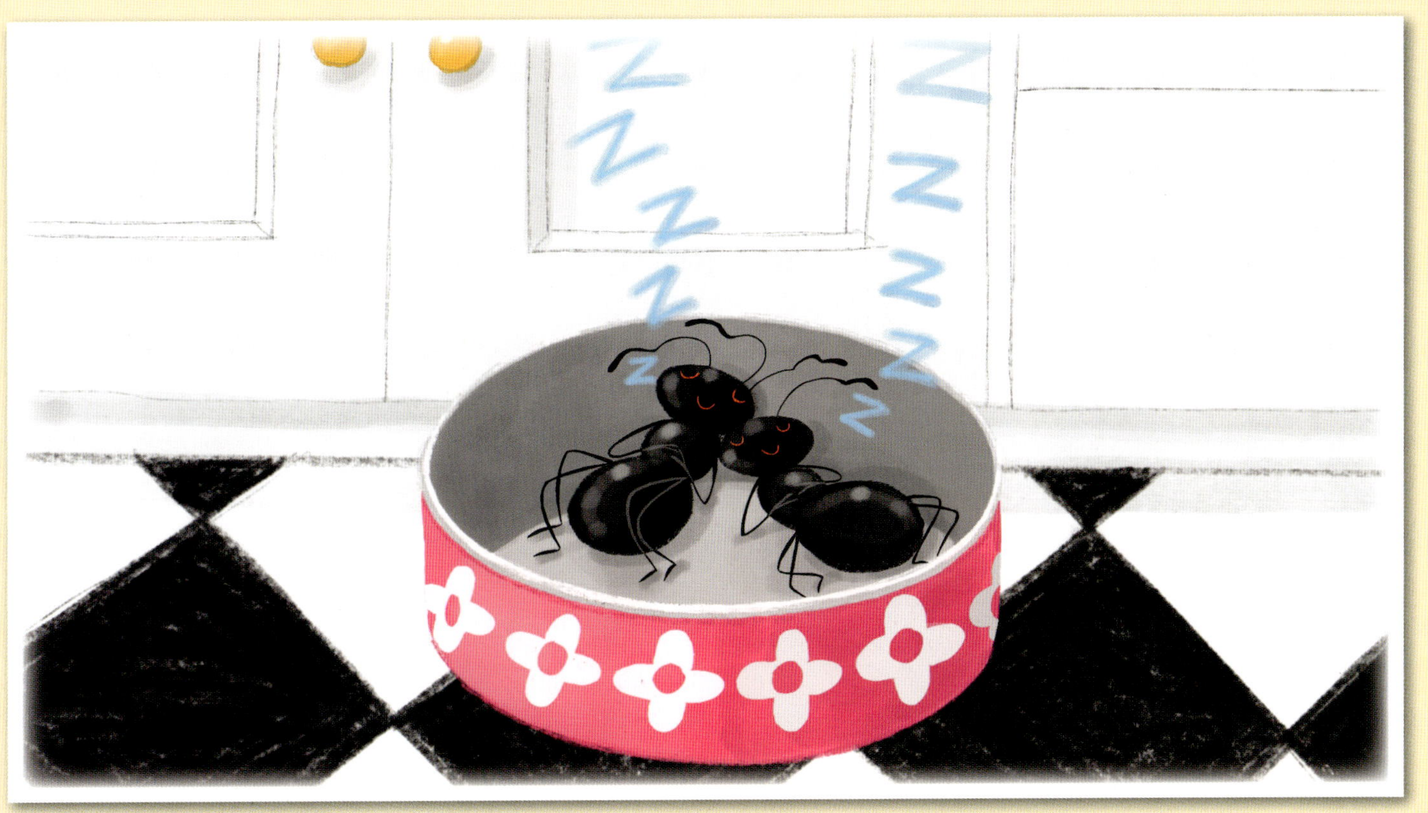

Ants nap.

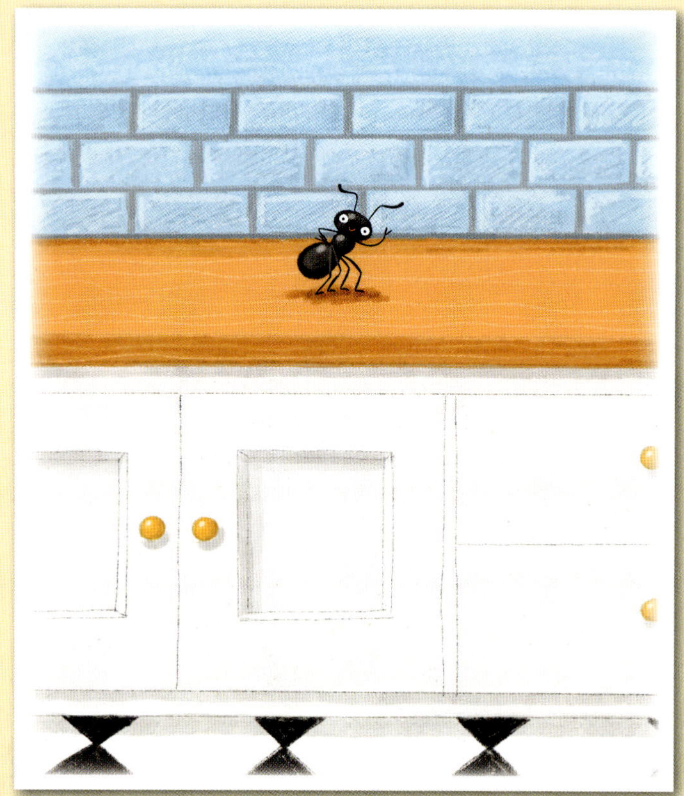

an ant

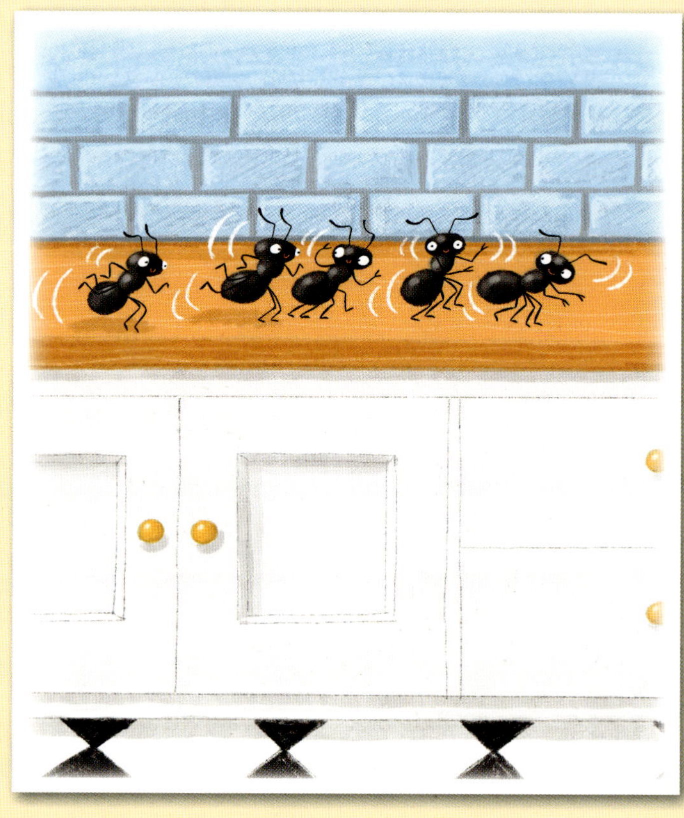

ants